Valentine

Rouky

Totor

Chiquita

Minichef

Les Vacances
du Chat
hypocrite

Avec,
dans le rôle
principal,
le Camarade
Kochkovitch.

À nos chats et aux maîtres
qui leur appartiennent.

Les Vacances du Chat hypocrite

Textes de
Hélène Lasserre & Gilles Bonotaux

Dessins de
Gilles Bonotaux

LAROUSSE

Et par ordre d'apparition :

Zazie,
la râleuse

Gershwin,
l'ado

Gribouille,
le vieux pote

Tintin,
le rêveur

Valentine de Percyval
dite « La Pépette »,
l'aristocrate

Rouky,
le trouillard

Chiquita,
la charmeuse

Totor,
l'indépendant

et Minichef, le bébé.

Comme il ne sait pas que nous partons
en vacances et qu'il n'a aucune idée
de l'endroit où il va…

... mon chat rechigne toujours
à entrer dans sa caisse.

Et clame son infortune.

1) Au secours !
2) Appelez la police !
3) C'est un enlèvement !

9

Sur la route, un bref séjour chez
Zazie*. Mon chat n'est pas accueilli
à « pattes ouvertes ».

* Voir *Mon Chat est un hypocrite*.

Il faut dire qu'il a tendance à abuser de l'hospitalité !

Enfin arrivés ! Dans la maison de
campagne, il retrouve ses odeurs
familières, son herbe tendre,

et ses coins à souris. Là, mon chat
est vraiment en vacances !

Mon chat profite seul de son territoire
en marquant chaque recoin,

sans savoir que des copains humains
et félins vont bientôt arriver…

Gershwin a débarqué le premier,
complètement défoncé ! Son maître
l'avait drogué pour qu'il reste calme
pendant le voyage.

Mais les autres étaient « clean ».

Mon chat aime partager sa passion de la chasse. Pour initier ses copains citadins, il leur apporte des souris vivantes.

Mon chat est très pédagogue.

MAMAN !

Bon !
Y'a du
boulot !

Tintin et La Pépette n'étaient pas
à l'ouverture de la chasse.

Rouky, fidèle à sa réputation de trouillard, reste planqué.

Et si d'aventure il croise une souris, son ombre ou mon chat, il pète les plombs.

Gershwin, en vrai ado, trouve cette activité cynégétique bien trop calme…

... et préfère asticoter les autres.

Totor, le bon élève, participe à la chasse en retrouvant ses instincts félins.

Puis, il se la joue perso…

De son côté, Gribouille a fait des progrès. S'il n'arrive pas encore à attraper des souris, il joue le rôle d'exécuteur des basses œuvres.

Quant à Chiquita, personne ne sait
ce qu'elle fabrique.

En fait, elle récupère la dépouille

et part en
courant...

... pour la déposer délicatement
sur le lit de ses maîtres.

Elle pleure !

① Mioo !

② Miaôôôôô !

③ Miôôôôôôw !

④ Miaraôôôôôw !

34

Mais que dit-elle ?

1) Pauvre petite souris !
2) Les garçons l'ont cassée !
3) Appelez un vétérinaire !
4) Quel monde de brutes !

Mon chat organise parfois un « powwow » pour faire un bilan de chasse.

Mais les filles et Rouky
n'y participent pas.

Bref, mon chat est très compréhensif
et accepte la diversité en abdiquant
son rôle de maître de céans.

Au point d'en être, parfois,
un peu tartignolle !

Mais tous dans la bande n'ont pas
la même ouverture d'esprit.

Ainsi, Totor et Tintin, bien que castrés, ont parfois des relations conflictuelles et viriles.

La Pépette et Chiquita ont
aussi leurs querelles de filles.

Et Gribouille casse les pieds
à tout le monde :

en attaquant
par-derrière,

en donnant des claques
sans raison,

en finissant
les gamelles,

45

et en manquant de tact avec
les filles.

47

Mon chat et ses potes trouvent parfois Gribouille un peu spécial...

... surtout quand il joue
avec sa peluche.

Comme mon chat est **chez lui**, il peut ouvrir toutes les portes et manger dans toutes les gamelles…

... surtout celles remplies de pâtée de luxe.

51

Mais il laisse volontiers ses croquettes de régime aux invités.

53

Mon chat adore les virées nocturnes avec les couche-tard.

Comme mon chat et ses copains sont des citadins, ils ne dorment pas dehors. Pour les faire rentrer le soir, c'est toute une affaire…

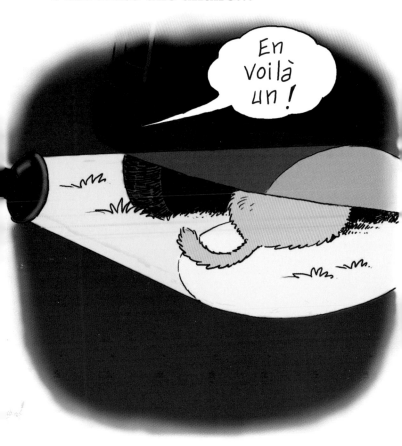

Mais c'est relativement facile avec des chats clairs.

C'est plus compliqué avec Totor,
qui a compris qu'en fermant les yeux,
il devenait invisible.

Les vacances ne sont pas sans danger. Un soir, mon chat s'est fait mordre par un matou local qui s'était introduit dans le jardin.

Un bibelot castré ne fait pas le poids
face à un indigène couillu !

Cela lui valut une séance chez
le vétérinaire, une humiliante
tonsure, une piqûre...

... et surtout, des remarques désobligeantes sur sa surcharge pondérale.

À son retour, les autres firent preuve d'une certaine empathie…

Mais mon chat n'en reste pas
moins noctambule...

Et la nuit, ce n'est pas la fin
de la journée !

En revanche, l'après-midi, c'est l'heure sacrée de la sieste.

Pour mon chat, qui squatte la boîte des autres,

pour Totor, au grenier,

pour Gribouille, sur le canapé,

pour Chiquita, dans le lit de ses maîtres,

68

pour La Pépette,
dans son couffin,

pour Gershwin,
sur le capot
de la voiture,

pour Tintin,
sur un lit,

et pour Rouky, dans
sa planque habituelle.

Mon chat est très accueillant,
même envers les chatons de passage.
Si Minichef n'a que 2 mois,

Tiens,
un nouveau !

Miou?

il arrive très bien
à s'imposer.

À la fin des vacances,

le départ des autres inquiète
toujours mon chat.

Et c'est encore pire quand il s'agit du sien !

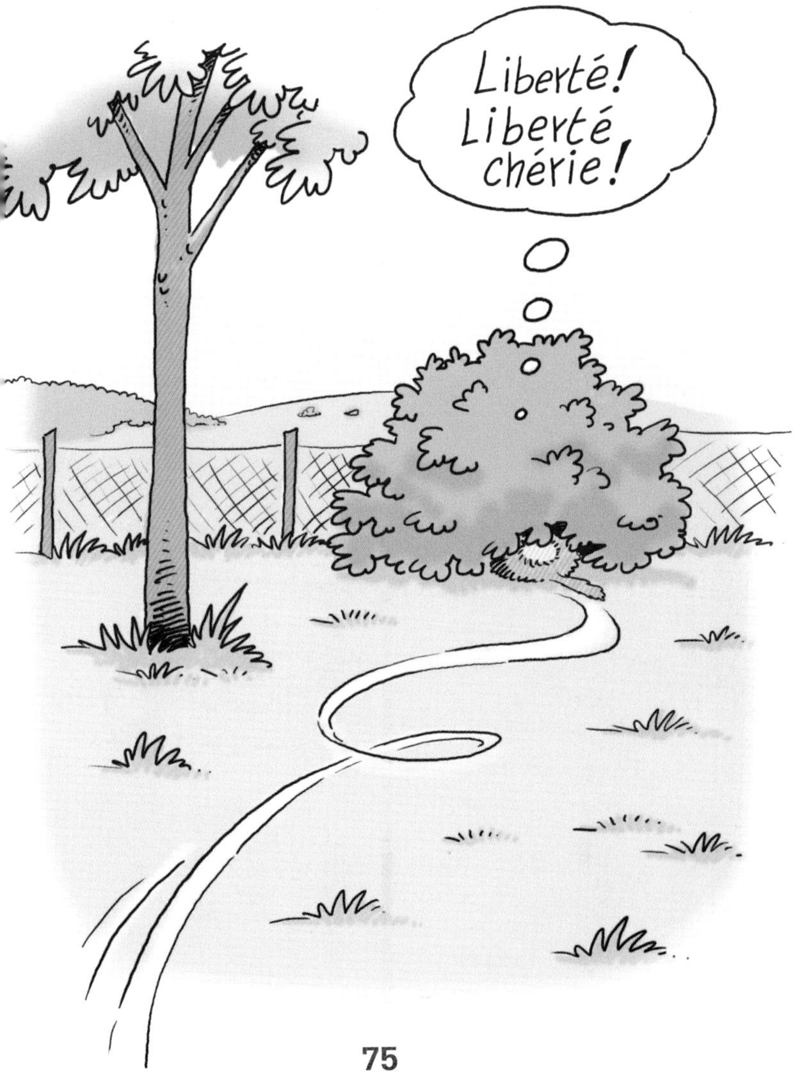
Liberté! Liberté chérie!

Mais je ne repars jamais sans mon chat. Il est d'ailleurs plus résigné que Totor et Chiquita.

De retour à la maison, mon chat
retrouve vite ses repères
et ses habitudes.

Mais il apprécie aussi les nouveautés,
comme une nichée de pigeons sur
sa fenêtre.

Mais, ceci est une autre histoire…

Direction éditoriale
Catherine Delprat

Édition
Marie Gazagne

Direction artistique
Emmanuel Chaspoul
assisté de **Martine Debrais**

Mise en page
Martine Debrais

Couverture
Véronique Laporte

Lecture-correction
Chantal Pagès

Fabrication
Annie Botrel

Pour les photographies des chats :
Le Camarade Kochkovitch, Gribouille, Gershwin, Totor,
Chiquita, Minichef : © David De Carvalho
Zazie, Tintin, Valentine, Rouky : © Gaëtan Saintenoy

© Éditions Larousse 2011
ISBN 978-2-03-586415-4

Photogravure Turquoise, Emerainville
Imprimé en Espagne par Dedalo Offset, Madrid
Dépôt légal : mai 2011
307020/02-11016569 juillet 2011

Le Camarade Kochkovitch

Zazie

Gershwin

Gribouille

Tintin